Dotio
a
Tel

gan John Agard

Darluniwyd gan

Jenny Stowe

Roedd 'na anghenfil
oedd wedi dotio at y teleffon.
Roedd o wrth ei fodd
yn rhoi'r teleffon wrth ei glust.

Roedd y suo bychan
y tu mewn i'r teleffon
yn gwneud i'r anghenfil
wenu.

4

Byddai'n udo
i mewn i'r teleffon
fel gwynt yn chwipio.

Byddai'n chwyrnu
i mewn i'r teleffon
fel arth ffyrnig.

6

Byddai'n gorwedd ar y llawr yn rhuo'n ddychrynllyd.

Byddai hyd yn oed yn cydio
yn y teleffon ac yn
ei dyrnu'i hun,
dwmp, dwmp,
dwmp!

8

Un diwrnod
canodd y teleffon.

Pan gydiodd yr anghenfil ynddo, clywodd lais bychan yn canu.Roedd o'n sŵn mor swynol fel ei fod eisiau'r sŵn y tu mewn iddo fo'i hun.

Felly dechreuodd yr anghenfil fwyta'r teleffon.

Ac wrth gwrs, roedd o'n sâl.

Fedrai o ddim udo
na chwyrnu na dyrnu'i gorff.
Gorweddodd ar y llawr
am gyntun bach.

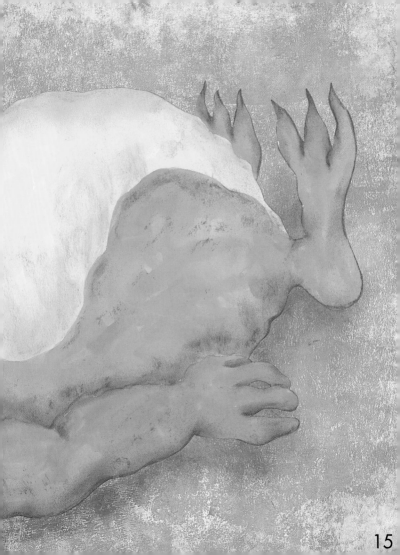

15

Ond byth ers hynny mae'r
anghenfil yn codi pob teleffon
ac yn gobeithio clywed
y llais bychan swynol
drachefn.

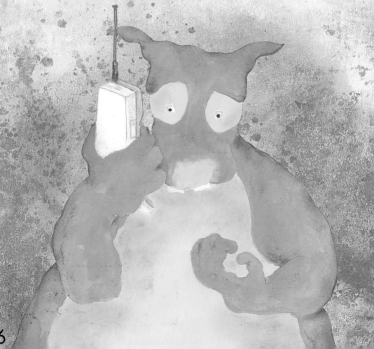